À la célèbre école de soccer appelée THE DAVID
BECKHAM ACADEMY, chaque jour est une aventure.
Tout en s'amusant, filles et garçons apprennent
à mieux connaître leur sport et développent
leurs habiletés. Mais il n'y a pas que les
stratégies et les tirs secs... David Beckham
sait que pour devenir un joueur de *Premier
League* il faut : du dévouement, du travail
d'équipe, de la passion et de la confiance en
soi. Voilà le secret! Dans les pages suivantes, tu
rencontreras des enfants passionnés de soccer
qui réalisent leurs rêves à l'académie.

**PLONGE DANS CETTE AVENTURE
SPORTIVE ET FASCINANTE!**

Voici ce que quelques-uns de nos lecteurs pensent de ce livre.

J'ai trouvé ça super
que Kate soit si bonne.

Jude, 7 ans

Je donnerais 12 sur 10 à ce livre
tellement il était bon!

Ryan, 7 ans

Mon passage préféré, c'est celui où
Tom reçoit des chaussures Predator.

Jordan, 10 ans

Mon chapitre préféré est
« Une avalanche de buts ».

Joseph, 10 ans

J'ai aimé cette histoire parce que Tom
apprend à devenir un joueur d'équipe.
Jake, 8 ans

Le meilleur moment de cette histoire,
c'est au début, quand on fait la surprise
à Tom de l'amener à l'académie.
Stephen, 10 ans

Mon personnage préféré est Kate, et j'ai aimé
quand elle a donné ses chaussures à Tom.
Stanley, 6 ans

J'ai adoré la fin, quand Kate et Tom
se sont réconciliés.
Jonah, 6 ans

Catalogage avant publication de Bibliothèque
et Archives Canada

Crossick, Matt
L'adversaire / Matt Crossick ; illustrations de Adam Relf ;
texte français de Claude Cossette.

(The David Beckham Academy ; 4)
Traduction de: Bossy boots.
Niveau d'intérêt selon l'âge: Pour les 7-10 ans.

ISBN 978-1-4431-0929-1

I. Cossette, Claude II. Relf, Adam III. Titre.
IV. Collection: The David Beckham Academy

PZ23.C7835Ad 2011   j823'.92   C2010-905820-8

L'édition originale de ce livre a été publiée en anglais au Royaume-Uni,
en 2009, chez Egmont UK Limited, 239 Kensington High Street,
Londres W8 6SA, sous le titre *Bossy Boots*.

Édition publiée par les Éditions Scholastic,
604, rue King Ouest, Toronto (Ontario) M5V 1E1,
avec la permission d'Egmont UK Limited.

5 4 3 2 1   Imprimé au Canada 116   10 11 12 13 14

THE DAVID BECKHAM
ACADEMY

L'ADVERSAIRE

TABLE DES MATIÈRES

MAGASINAGE

Tom traverse l'allée à pas de tortue. Sa mère et sa grand-mère sont déjà assises dans la voiture.

— Dépêche-toi, Tom! lui lance sa mère par la vitre. On a *beaucoup* de magasinage à faire!

— Génial, grommelle Tom, beaucoup de magasinage. Et pourquoi faut-il que je vous accompagne déjà?

Sa grand-mère glousse.

— On a besoin d'un beau jeune homme pour nous dire quels vêtements nous vont le mieux! répond-elle.

— Mais je devrais être en train de jouer au

soccer dans le parc, proteste-t-il en se hissant sur la banquette arrière. Ce n'est pas juste!

Tom vit avec trois femmes — sa mère, sa grande sœur et sa grand-mère. Le pire dans tout ça, c'est qu'il est tout le temps obligé de prendre part à de longues et ennuyeuses séances de magasinage.

— Ça fait neuf jours que tu passes tout ton temps à jouer au soccer! fait remarquer sa mère tandis que la voiture démarre. Une journée de congé ne te fera pas de mal.

— Je suis certain que David Beckham n'a jamais eu à subir ça! ronchonne-t-il. Mes chances de jouer un jour pour l'Angleterre sont plutôt minces si je dois passer mes samedis à regarder des chaussures, des chapeaux ou... je ne sais quoi encore.

— Tu n'auras qu'à lui poser la question quand tu seras toi-même un joueur célèbre, répond sa mère en riant. Bon, nous allons tout d'abord faire le tour des bijouteries. Je veux trouver une belle paire de boucles d'oreilles pour...

Tom n'écoute plus. Il regarde par la vitre. Il lui est tout simplement impossible de prêter attention à une conversation aussi assommante. Il imagine ses amis qui doivent être en train de former des équipes. Qu'importe l'équipe pour laquelle il joue, il est toujours l'attaquant vedette!

— Et puis, au bout de quatre à cinq heures, dit sa grand-mère, nous pourrons passer aux boutiques de sacs à main...

Tom laisse échapper un autre soupir. Il porte même tout son équipement de soccer, y compris les chaussures. Il est prêt à aller jouer alors que tout ce qui l'attend, c'est une longue journée à rester planté devant des cabines d'essayage.

— Ensuite, on ira faire quelques boutiques de chaussures! poursuit sa mère.

Tom n'en revient pas qu'elle ait l'air enchantée à l'idée d'aller dans une boutique de chaussures.

La voiture s'arrête à un feu de circulation et Tom regarde un immense panneau publicitaire sur le bord du chemin. On y voit un célèbre joueur de soccer exécutant un impressionnant coup de pied retourné, chaussé d'une paire de

magnifiques souliers à crampons.

— Oh là là! s'exclame Tom en regardant l'affiche, d'un air envieux.

Les chaussures sont argentées et dotées de crampons métallisés. On dirait presque qu'elles viennent de l'espace.

— Et après, dans la deuxième boutique de chaussures, je veux... poursuit la mère de Tom d'un ton monotone.

Tom baisse le regard vers ses chaussures. Les piqûres se défont aux orteils et le talon du soulier droit est couvert de ruban adhésif.

Il interrompt sa mère :

— Maman, crois-tu qu'une de ces boutiques vend des souliers de soccer? demande-t-il.

Sa mère se retourne en fronçant les sourcils.

— Je ne suis pas un guichet automatique, chéri, lâche-t-elle.

Tom écarquille les yeux. Non, mais, avec

quoi compte-t-elle acheter tous ces bijoux, sacs à main et chaussures alors?

On dirait que sa mère a lu dans ses pensées.

— Désolée, mon ange, dit-elle. Mais à la vitesse à laquelle tu grandis, ils ne dureraient pas cinq minutes. Ta grand-mère et moi avons atteint notre taille maximale. Je l'espère en tout cas! ajoute-t-elle en riant de sa propre blague.

Tom lève les yeux au ciel. Comment va-t-il faire pour endurer ça pendant huit heures? Il écrase son nez contre la vitre de la voiture, car il aime cette partie du trajet qui passe derrière The David Beckham Academy.

— Maman, un jour est-ce que je pourrai…

Tom ne termine pas sa phrase. Il se dit que ce n'est pas le moment de parler d'une visite à l'académie. Après tout, son anniversaire n'est que dans dix mois!

— Ensuite, nous irons prendre le thé, juste

avant d'aller voir les chapeaux, lance sa grand-mère.

Pendant ce temps, il imagine les immenses terrains à l'intérieur des dômes de l'académie. Ceux-ci sont certainement remplis de jeunes apprenant de nouvelles techniques et participant à de grands tournois alors qu'il va passer la journée à regarder des chapeaux. Sa mère quitte la route principale pour entrer dans un vaste stationnement.

— *Mamaaaan!* grogne Tom. Tu t'es encore trompée. Ce n'est pas le chemin pour se rendre en ville!

La mère de Tom sourit dans le rétroviseur.

— Mais non, je ne me suis pas trompée de chemin!

Ils roulent dans un labyrinthe de places de stationnement et de clôtures.

— Euh… non, tu t'es vraiment trompée,

maman, insiste Tom. C'est comme la fois où on s'est presque rendus au Pays de Galles alors qu'on voulait simplement aller au supermarché!

— C'était une erreur facile à faire! réplique sa mère en fronçant les sourcils. Nous sommes presque arrivés de toute manière.

La grand-mère de Tom se retourne et fait un clin d'œil à son petit-fils.

— Tu sais que ta mère et moi allons faire les boutiques aujourd'hui, dit-elle en souriant.

— Oui, grommelle Tom à voix basse.

— Mais tu ne viens pas avec nous! s'écrie-t-elle. Nous allons te laisser ici!

— Mais… fait Tom, perplexe. Qu'est-ce que je vais… OH!

La voiture effectue un dernier virage et s'arrête juste devant The David Beckham Academy!

— Non… vous ne voulez pas dire que…?

bafouille Tom tant les mots se bousculent dans sa tête.

— Oui! s'exclame sa mère. Tu vas passer trois journées complètes ici à jouer au soccer jusqu'à en avoir une indigestion!

— C'est ton cadeau d'anniversaire! claironne sa grand-mère. Je te l'offre à l'avance!

Tom, le souffle coupé, n'arrive pas à ouvrir la portière de la voiture.

—Vous voulez dire que…

La portière s'ouvre brusquement. Il plonge tête première et va s'étaler sur le béton. Il lève les yeux vers l'immense entrée vitrée, puis tourne la tête vers la voiture, la bouche grande ouverte.

— C'est le plus beau cadeau de *ma vie*! dit-il d'une voix étranglée.

Sa grand-mère se penche à la portière et lui donne une petite poussée.

—Allez, vas-y, souffle-t-elle. Ça commence dans une minute.

Tom pivote et s'élance vers la porte. Voilà qui sera *beaucoup mieux* que de faire la tournée des chapeaux!

L'AMORCE

Tom s'assoit sur un banc du vestiaire et passe la tête dans le chandail de The David Beckham Academy qu'on vient de lui remettre.

— *Mffmfmmfmff!* marmonne-t-il en se débattant pour trouver les emmanchures.

— Salut! fait un grand garçon blond assis à côté de lui. Je m'appelle James. Fais-tu partie de mon équipe? Je pense que je t'ai vu quand l'entraîneur principal nous a divisés en pays!

— *Mfiffififfffff!* grogne Tom en essayant de passer la tête dans l'encolure.

James tire sur le chandail de Tom pour l'aider à l'enfiler.

— Ouf, merci, dit Tom en lissant ses cheveux. Tu fais aussi partie de l'Équipe France?

— Oui et d'après moi, nous avons une très bonne équipe. Tu vois le groupe là-bas? C'est l'Espagne, mais les gars n'ont pas l'air très solides, déclare James en montrant du doigt le côté opposé du vestiaire.

Un groupe de garçons plus petits enfilent leur équipement en jetant des regards nerveux tout autour de la pièce bondée.

— Ouais, par contre je crains un peu la Hollande! lance un autre coéquipier de Tom qui observe des garçons costauds discutant déjà de tactiques dans un coin. Je n'ai pas tellement envie de les affronter dans le tournoi!

Tom s'aperçoit en jetant un regard à la ronde que les élèves de l'académie ont tous rejoint les équipes formées par Frank Evans, l'entraîneur principal. Les équipes portent les noms des meilleurs pays du monde au soccer.

— Rien à craindre! Je suis le meilleur attaquant de la ligue de mon école! annonce Tom. Quelqu'un s'oppose-t-il à ce que je joue à l'avant?

— C'est l'entraîneur qui va décider, non? fait remarquer James.

Tom emprisonne ses orteils dans ses chaussures défraîchies et fixe le ruban adhésif sur le talon.

— Avez-vous vu les nouveaux souliers Predator? demande-t-il.

— *Et comment!* s'exclame James. Ils sont incroyables! Mais ma mère ne veut pas me les acheter. Elle dit que pour le moment je grandis trop vite et qu'ils ne vont pas durer…

Tom hoche la tête.

— Ma mère dit la même chose. Il ne me reste plus qu'à devenir joueur professionnel et à me les acheter moi-même!

James éclate de rire.

— Ouais. Moi, j'ai dit à ma mère que je lui achèterais une maison quand je jouerai pour l'Angleterre!

Tous les enfants sortent à la queue leu leu du vestiaire lorsqu'une autre porte s'ouvre brusquement. Une femme de haute taille vêtue

d'un ensemble de soccer en franchit le seuil d'un pas énergique.

— Bonjour! lance-t-elle. Qui fait partie de l'Équipe France?

Tom, James et quelques autres garçons lèvent la main.

— Alors, venez avec moi. Je m'appelle Kelly et je serai votre entraîneuse pendant les trois prochains jours!

Tandis que les garçons se dirigent vers le terrain à la suite de Kelly, James fronce les sourcils.

— Une femme comme entraîneur? dit-il. J'espère qu'elle est bonne!

Tom se retourne pour lui répondre quand quelque chose de grand et osseux fonce sur lui. Il s'étale de tout son long, les quatre fers en l'air.

— *Aïe!* s'écrie le garçon qui se relève en

s'assurant qu'il ne s'est rien cassé. Fais attention, tu aurais pu me blesser!

Une fille un peu plus grande que Tom se redresse et époussette ses vêtements. Ses cheveux roux bouclés sont serrés dans une queue-de-cheval et elle porte elle aussi un ensemble tout neuf de The David Beckham Academy.

— Fais attention toi-même, rétorque-t-elle. J'ai failli me tordre la cheville!

— Ah oui? répond Tom en étirant le cou pour gagner quelques centimètres. J'ai failli me tordre le genou!

La fille est sur le point de répliquer quand Kelly se retourne et va se placer entre eux.

— Hé, hé! fait-elle. Arrêtez de vous disputer! D'autant plus que vous allez être coéquipiers. Les garçons, je vous présente le dernier membre de l'Équipe France : Kate!

Abasourdi, Tom lève les yeux vers Kelly.

— Ne me dites pas qu'il y a une *fille* dans notre équipe! s'écrie-t-il en dévisageant Kate. Maintenant, nous n'avons aucune chance de remporter le tournoi. J'espère que tu es prête à réchauffer le banc des remplaçants, Kate.

— Tom, intervient Kelly, je t'ai déjà averti une fois. Kate est peut-être meilleure que vous tous au soccer, tu ne sais pas...

— Impossible, c'est une fille! répond Tom, d'un ton maussade.

James lui donne un coup de coude dans les côtes.

— En fait, déclare-t-il, j'ai une sœur qui est pas mal bonne au soccer, tu sais.

Kelly fronce les sourcils.

— Et je *suis* une femme qui joue pour l'équipe féminine de l'Angleterre. Es-tu en train de dire que moi non plus je n'ai pas de talent?

— Euh, non, c'est différent, marmonne Tom en regardant le bout de ses souliers. Au moins, vous avez beaucoup d'expérience. Elle n'a probablement… jamais…

Tom ne termine pas sa phrase. Tous les garçons fixent Kate en silence, la bouche grande ouverte. Accroupie près d'eux, elle lace ses souliers de soccer, *une paire flambant neuve de*

Predator.

— Franchement! lâche James d'une voix étranglée. Tes souliers sont super!

Kate se relève d'un bond et lance un regard irrité à Tom.

— Qu'est-ce que tu disais? lui demande-t-elle. Que je n'avais probablement jamais *quoi*?

Désarçonné, Tom bafouille :

— Ce n'est pas parce que tu as de beaux souliers que tu es bonne au soccer.

Kate hausse les sourcils et baisse les yeux vers les pieds de Tom. Le ruban adhésif est en train de se décoller de sa chaussure droite.

— Bon, euh… commence Tom.

Mais il ne trouve rien d'autre à dire.

Il est encore à la recherche d'une insulte cinglante quand Kate s'éloigne pour aller faire des échauffements sophistiqués comme une professionnelle.

— C'était toute une réplique! se moque gentiment James en riant.

— Peu importe, bougonne Tom. On verra bien, une fois sur le terrain, qui est le meilleur.

Il fixe le ruban adhésif aussi serré que possible sur son talon et rage en silence.

— Je me fiche pas mal de ses souliers! marmonne Tom à James au moment où ils entrent sur le terrain au pas de course. C'est juste une fille!

PRISE DE BEC

Sur le point central, Tom retient le ballon sous son pied en essayant d'ignorer les sourires des joueurs du Brésil, l'équipe adverse.

Il sait bien que ses adversaires s'attendent à remporter la partie. Tout ce qu'il souhaite, c'est leur prouver qu'ils ont tort — même s'il y a une fille dans son équipe. Au même moment, Kate arrive au pas de course et vient se poster en face de lui sur le point central.

— Mais qu'est-ce que tu fais? s'écrie Tom. Pas question que tu donnes le coup d'envoi avec moi. Retourne à la défense et tâche de ne pas nous faire perdre le match.

Kate fronce les sourcils en resserrant sa queue de cheval.

— J'ai une meilleure idée, dit-elle. Je te suggère plutôt d'arrêter de te plaindre et de me laisser aider l'équipe à marquer des buts.

Kelly se déplace à grandes enjambées pour arbitrer la partie, le sifflet entre les dents.

— Va-t'en, O.K.? grogne Tom. C'est la première partie du tournoi; ce n'est pas une simple partie dans un parc et il n'est *pas question* que tu fasses le coup d'envoi!

Mais Kelly donne un coup de sifflet et avant que Tom puisse ajouter quoi que ce soit, Kate fait rouler le ballon vers lui et se dirige vers l'aile au pas de course.

— Toi… toi…, fulmine Tom tandis qu'un joueur du Brésil fonce sur lui. Je n'étais même pas prêt!

Comme Tom hésite, le joueur de l'Équipe Brésil en profite pour le déséquilibrer et se sauve avec le ballon. En plus de donner le coup d'envoi, Kate a réussi à le ridiculiser.

— Hé! hurle-t-il en sautant sur ses pieds. Reprenez-lui le ballon!

Le joueur du Brésil contourne facilement James et se met en position pour faire un tir au but. Soudain, à la surprise de Tom, Kate glisse pour effectuer un parfait tacle à retardement et reprendre possession du ballon.

— Beau jeu, Kate! lance Kelly.

Kate remonte déjà le terrain à la course pour préparer la contre-attaque de l'Équipe France. Elle fait rouler le ballon sur le côté, déjouant ainsi un joueur du Brésil, puis effectue une belle passe à Tom. Ce dernier pivote sur ses talons et fonce droit devant lui. Les défenseurs du Brésil traversent la surface pour le bloquer. Tom s'élance tête baissée et contourne un joueur, mais la moitié de l'équipe se trouve maintenant dans la zone et il est bientôt entouré de défenseurs du Brésil.

—Aidez-le! s'écrie James à l'autre bout du terrain.

Tom protège le ballon avec son corps et tient le défenseur le plus près à distance. Il lève les yeux, cherchant quelqu'un à qui passer le ballon. En un instant, Kate est derrière lui sur la ligne de touche.

—Tom! Par ici! crie-t-elle.

Tom la regarde d'un air menaçant. Il a les défenseurs du Brésil sur les talons, mais il n'est *pas question* de lui faire une passe à elle! D'un coup d'épaule, il écarte le joueur à côté de lui et tente de se frayer un chemin jusqu'au but en déjouant les défenseurs. Mais une longue jambe intercepte le ballon sous lui et il se retrouve à plat ventre par terre.

— Pourquoi tu ne m'as pas fait une passe?

lui crie Kate alors que le Brésil en profite pour remonter le terrain. J'aurais pu marquer.

Tom est toujours en train de s'épousseter quand Kate fonce à toutes jambes pour voler le ballon à l'attaquant du Brésil qui traverse le terrain en dribblant. Elle reprend le contrôle du ballon, promène le regard tout autour pour voir quelles sont ses options, puis fait une passe de côté à James.

James lui relance le ballon dans un bel échange une-deux.

— Vas-y, maintenant, l'encourage-t-il.

Kate entreprend une montée à l'aile. Elle parvient facilement à dribbler entre deux joueurs avant de glisser le ballon entre une troisième paire de jambes. Elle contourne ensuite le joueur à toute vitesse et va reprendre le ballon qu'elle coince sous son pied. Kate jette un rapide coup d'œil vers Tom avant de lui faire

une longue passe dans la surface de réparation.
Le ballon effectue une trajectoire parfaite pour
atterrir aux pieds de Tom.

— Génial, c'était une superbe passe!
s'extasie James.

Les mains sur les hanches, plusieurs autres
joueurs regardent Kate, impressionnés par ses
prouesses, oubliant pendant un moment qu'ils
jouent eux aussi.

Tom prend le contrôle du ballon avec adresse, pivote rapidement, fait un pas de côté pour déjouer le gardien de but et expédie le ballon de toutes ses forces au fond du filet.

— *Ouaiaiaiaiais!* tonitrue-t-il en courant sur le terrain les poings en l'air.

Kate se précipite vers lui, la main levée prête à claquer dans la sienne.

— Belle façon de finir le jeu, dit-elle en souriant.

Mais Tom l'évite et continue à courir pour aller se mêler au peloton de l'Équipe France qui, plus loin sur le terrain, se réjouit du point marqué.

— C'était un but génial! lance James en lui donnant une tape dans le dos.

Kate, cependant, n'a pas l'air très contente. Elle se dirige vers Tom à longues enjambées et lui assène un coup de coude.

— Tu n'as pas marqué ce but tout seul, tu sais, marmonne-t-elle.

— Je n'ai pas besoin de ton aide pour compter, riposte Tom alors que le jeu reprend.

Il replonge dans l'action, tacle un joueur du Brésil et récupère le ballon pour ensuite remonter le terrain à toute vitesse. Kate sprinte pour le devancer et se placer derrière la défense du Brésil.

— Par ici! hurle-t-elle. Tu ferais mieux de me passer le ballon cette fois-ci!

Tom lève les yeux. Kate est dans une position parfaite pour compter. Il est sur le point de lui envoyer le ballon, mais au dernier moment, il hésite. Veut-il vraiment que cette fille énervante compte un but? Il prend son élan et fait un long tir qui passe très loin du poteau. Plusieurs joueurs derrière lui le huent.

Mais Kate est plus que déçue du tir; elle est

furieuse!

— Pourquoi ne m'as-tu pas fait la passe? mugit-elle en tapant du pied tandis que son visage s'empourpre. Nous pourrions mener trois à zéro sans ton attitude!

— Qu'est-ce que tu racontes? proteste Tom. C'est *moi* qui ai marqué le but. C'est censé être une équipe de soccer sérieuse, enchaîne-t-il en haussant de plus en plus le ton. Nous devrions remporter ce tournoi! Et tout va aller de travers parce que *tu* fais partie de notre équipe!

Tom s'arrête pour reprendre son souffle, les poings sur les hanches. Tandis qu'il halète, il remarque peu à peu que tout le monde sur le terrain le dévisage en silence. Le regard de James croise le sien, mais son ami détourne vite les yeux.

— *Euh*... marmonne-t-il.

Kelly arrive à grandes enjambées, l'air sombre.

— Tom Walsh! lance-t-elle d'un ton furieux. Quitte le terrain *immédiatement*! Tu es remplacé. Il *ne* s'agit *pas* de ton équipe de soccer et tu ne pourras pas en faire partie tant que tu n'auras pas adopté un meilleur esprit d'équipe!

Tom, le souffle coupé, ouvre et ferme la bouche, puis quitte le terrain en marchant d'un pas lourd. Du banc, il regarde Kate exécuter avec brio une série de tacles et de passes au milieu du terrain.

— Ce n'est pas *du tout* ce que j'attendais de ma première journée à l'académie! grommelle-t-il pour lui-même, alors que toute l'équipe félicite Kate à la fin de la partie.

MAUVAISES STRATÉGIES

Le lendemain, James se laisse tomber derrière un pupitre à côté de Tom, qui est assis en avant dans une salle de classe de l'académie.

Il pousse un soupir en remarquant l'air renfrogné de son ami.

— Tu boudes à cause de Kate, hein? dit-il.

— Non, grogne Tom. Je... je réfléchis!

— Ouais. Tu réfléchis au fait que tu boudes dans ton coin parce que tu as été remplacé hier, lâche James en riant.

— Ce n'est pas juste, déclare Tom. Il ne devrait pas y avoir de fille vedette dans notre équipe!

— Pourquoi pas, elle est vraiment bonne, répond James. Elle a tout un pied droit et...

Il est sur le point de décrire en long et en large l'habileté de Kate dans les jeux de passe quand il remarque que Tom se renfrogne encore plus.

— En tout cas, si tu veux équilibrer les choses, tu devrais lui montrer à quel point tu es brillant dans cette classe sur les stratégies, conclut James en baissant la voix, car le local se remplit et Kelly vient d'arriver.

— Tu as raison! réplique Tom tandis que Kelly appuie sur un bouton et que le diagramme d'un terrain de soccer apparaît sur le tableau blanc à l'avant. Je parie que Kate ne connaît strictement rien aux stratégies. Les filles détestent ce genre de choses.

— Nous allons maintenant examiner des stratégies dans différentes situations, annonce

Kelly.

Vingt-deux points apparaissent sur le tableau blanc. Ils représentent les joueurs de chaque équipe.

— L'équipe A mène par un point, enchaîne l'entraîneuse. Ce défenseur-ci a le ballon. Que devrait-il faire maintenant pour que son équipe se rattrape?

Tom lève la main en un éclair, avant même qu'elle ait terminé sa phrase.

— Il devrait faire une longue passe au meilleur attaquant, Kelly! lance-t-il. Il pourra tirer le ballon de l'extérieur de la surface et compter. Ce sera alors l'égalité entre les équipes!

Kelly sourit.

— C'est une façon d'y arriver, convient-elle. Mais est-ce possible de travailler en équipe?

Kate a aussi la main levée.

— Oui, Kate?

— Le défenseur pourrait passer à un joueur du milieu qui pourrait renvoyer le ballon à l'attaquant lorsque la défense de l'équipe adverse s'est avancée. En obligeant les joueurs à changer de position, le milieu crée de l'espace pour que l'attaquant puisse se faufiler et compter.

— Excellente réponse, bravo! lance Kelly. Est-ce que tout le monde comprend que c'est une bonne stratégie?

Tout le monde hoche la tête. Sauf Tom. Il jette un regard furibond à Kate.

— Je vous présente une autre situation, continue Kelly. L'attaquant de l'équipe A est cn possession du ballon à l'entrée de la surface, mais il est entouré de défenseurs. Que devrait-il faire?

— C'est arrivé hier, lâche Kate à voix basse. Mais quelqu'un là-bas a monopolisé le ballon et j'ai raté une chance de marquer.

Tom devient rouge de colère et lève la main pour répondre.

— L'attaquant pourrait dribbler autour des défenseurs et marquer encore, propose-t-il. Et il ne devrait surtout pas passer le ballon à un enfant gâté, comme à une joueuse du milieu avec des beaux souliers! ajoute-t-il tout bas à l'intention de James.

Kelly fronce les sourcils.

— Il n'y a pas que les attaquants vedettes,

Tom! dit-elle. Le joueur avant dispose de toute une équipe pour l'aider.

Kate a levé la main à nouveau.

— Il pourrait protéger le ballon avec son corps jusqu'à ce qu'un joueur du milieu vienne l'aider, suggère-t-elle. Ensuite, il pourrait passer le ballon au joueur — ou à la joueuse — et les deux pourraient travailler avec le reste de l'équipe pour venir à bout de la défense.

En disant « joueuse », elle a plissé les yeux et lancé un regard furieux à Tom.

— Excellente réponse encore une fois, Kate, commente Kelly. Tu connais bien les stratégies.

La colère de Tom croît de minute en minute. Est-ce que cette fille va l'humilier pendant tout son séjour à l'académie?

— Pourquoi se préoccuper de ça s'il y a un bon attaquant sur le terrain? lâche-t-il. Pourquoi ne pas juste lui donner le ballon pour qu'il marque des buts?

Kelly fronce les sourcils de nouveau.

— Parce qu'un seul joueur ne peut accomplir la moitié de ce qu'une équipe jouant ensemble peut faire, explique-t-elle avec patience. Un bon attaquant peut marquer deux buts dans un match. Mais avec un bon attaquant, un bon milieu derrière lui et une bonne défense, on peut créer plus de chances de compter et laisser entrer moins de buts. N'oublie pas qu'il faut mettre le jeu au point quand l'équipe adverse a une défense organisée.

— *Pff!* marmonne Tom pour lui-même. N'empêche que ce que je propose est plus facile!

— Bon, dit Kelly en éteignant le tableau blanc. Grâce aux excellentes réponses de Kate j'accorde à l'équipe une très bonne note pour cette classe sur les stratégies. Maintenant, retournons sur le terrain!

Tous poussent des hourras. C'est dans l'excitation générale que les garçons sortent à la queue leu leu du local en se bousculant pour donner une tape dans le dos de Kate.

— Bravo, Kate!

— C'était génial! On pourrait remporter le tournoi!

— Super! lance James.

Tom le foudroie du regard.

— J'en ai assez! dit-il entre ses dents. *Pas question* qu'elle gâche mon séjour à l'académie!

Alors que les autres joueurs se dirigent vers le terrain au pas de course, Tom attrape Kate par le bras.

— Je peux te dire un mot? dit-il en l'entraînant dans un couloir.

—Bien sûr! répond Kate d'un ton suffisant.

Je pourrais peut-être te donner un cours sur les stratégies au soccer.

— Je te préviens… menace Tom.

— Tu me préviens de quoi? Que tu vas piquer une autre crise? Ou…

Kate s'interrompt au milieu de sa phrase; Tom vient de la pousser contre une porte ouverte. Elle trébuche vers l'arrière et se retrouve dans les toilettes pour handicapés.

— Hé! s'écrie Kate. Arrête de…

Mais Tom claque la porte derrière elle et regarde autour de lui à la recherche de quelque chose pour bloquer la poignée.

— Hé! Laisse-moi sortir! rugit Kate de l'intérieur. Tu es juste jaloux parce qu'une fille est meilleure que toi au soccer!

— Ce *n'est pas* vrai! s'exclame Tom en attrapant une chaise avec sa main libre. Et tu *n'es pas* meilleure que moi!

Il coince le dossier de la chaise sous la poignée de la porte et recule de quelques pas. C'est à peine si on entend les cris étouffés de Kate.

— Je serais surpris que tes souliers Predator te sortent de là! lance-t-il avant de s'éloigner au pas de course vers le terrain.

C'est maintenant *son* tour d'être la vedette!

L'ATTAQUANT SOLITAIRE

Lorsque Tom arrive sur le terrain au pas de course, le reste de l'équipe attend pour donner le coup d'envoi.

— Tu en as mis du temps, se plaint James. Où est Kate?

Tom hausse les épaules.

— Je… euh… je l'ai vue, il y a un instant, elle se dirigeait vers le local de physio en boitant, dit-il en prenant un air innocent. Je crois qu'elle s'est foulé la cheville.

James fronce les sourcils.

— Une cheville foulée dans la salle de classe?

Tom hausse les épaules à nouveau.

— Écoute, c'est tout ce que je sais. On n'a qu'à commencer sans elle.

— Bon, alors j'espère que tu es prêt à marquer des buts, réplique James tandis qu'on donne le coup d'envoi. Si Kate est blessée, il va falloir que tu sois notre joueur principal.

Tom sourit en son for intérieur et se dirige au pas de course dans la surface de réparation de l'équipe adverse. C'est exactement son intention.

— Par ici! crie-t-il en esquivant le joueur qui le marque pour ensuite continuer sa course. J'ai le champ libre!

Mais au lieu de percer la défense avec une belle passe, le milieu de l'Équipe France trébuche sur le ballon et le perd. Tom se retient d'émettre un commentaire désapprobateur.

— Allez, la France! hurle-t-il tandis que le milieu de terrain essaye de reprendre le ballon. On peut faire mieux.

Le match se poursuit sans que les choses s'améliorent; les joueurs du milieu peinent, aucun doute là-dessus. Ils ne réussissent pas leurs tacles et n'arrivent presque *jamais* à s'approcher de leurs adversaires.

Enfin, James quitte la ligne défensive à fond de train, se saisit du ballon et l'envoie rouler jusqu'à un joueur du milieu. La France remonte le terrain, prête à l'attaque, avec Tom en tête qui fonce dans la défense brésilienne.

— Par en haut! crie-t-il en jouant du coude pour écarter un défenseur. C'est ça!

Un milieu d'Équipe France court au centre du terrain avec le ballon. Il lève les yeux vers Tom, recule le pied et frappe le ballon. Mais au lieu de plonger dans la surface de réparation du Brésil pour que Tom aille le récupérer, le ballon continue à monter. Il passe par-dessus la tête de Tom, par-dessus le but du Brésil et rebondit sur la tête de l'arbitre dans l'autre terrain.

Tom grogne.

— J'ai dit en haut, pas dans l'espace! bougonne-t-il tandis que le gardien du Brésil part chercher le ballon. Est-ce que quelqu'un est capable de faire une passe?

Pour toute réponse, ses coéquipiers lui lancent un regard furieux.

Plus le match avance, plus la frustration de Tom grandit. Il a l'impression de passer tout son temps seul près de la surface sans avoir la moindre chance de toucher au ballon. On dirait qu'aucun joueur du milieu de l'Équipe France n'est capable de lui faire une bonne passe. Alors qu'il est posté à côté d'un défenseur du Brésil,

les mains sur les hanches, un autre joueur fait une passe lamentable et envoie le ballon planer au-dessus de sa tête et heurter le plafond.

— C'est ridicule! s'écrie-t-il. Vous êtes une *bande d'incompétents*!

Ses coéquipiers le regardent d'un air renfrogné.

— C'est facile pour toi, tu restes planté autour de la surface de réparation, lâche l'un d'eux, un grand garçon très mince aux cheveux en bataille appelé Sam. Pourquoi tu ne viens pas par ici pour essayer de reprendre le ballon?

Tom réplique en criant :

— Parce que je suis attaquant! C'est ton rôle d'*aller chercher le ballon*!

Tandis que les deux se disputent, leurs adversaires ont envahi le milieu du terrain et foncent en direction du but. James plonge désespérément vers l'attaquant et effectue un tacle glissé, mais il est trop tard. L'attaquant lève la tête, esquive la jambe tendue de James puis exécute un tir parfait qui déjoue le gardien et expédie le ballon au fond du filet de la France.

— Non! hurle Tom tandis que l'équipe adverse explose de joie. C'est *terrible*!

Lorsque le coup de sifflet annonce la mi-temps, Tom quitte le terrain comme un ouragan en faisant signe au reste de l'équipe de le suivre jusqu'au banc.

— Qu'est-ce que vous avez tous? rage-t-il en s'adressant à ses coéquipiers. Vos passes sont complètement pourries, ma grand-mère serait meilleure que vous! Et en plus, vous les laissez compter sur un tir vraiment mou!

Ses coéquipiers se mettent à grommeler entre eux.

— Tu n'as pas fait grand-chose pour nous aider non plus, ronchonne Sam. Tu n'as pas touché au ballon.

Tom devient écarlate tant il est irrité.

— C'est ce que j'essaie de vous dire! Vous êtes censés me passer le ballon, mais vous êtes de vrais *nuls*!

— Si tu es si génial que ça alors pourquoi tu ne viens pas le *chercher* le ballon? gronde Sam. Au fait, *tu* n'as pas été nommé capitaine, à ce que je sache?

Tom est sur le point de riposter quand Kelly arrive à grandes enjambées.

— Hé! lance-t-elle. Il faudrait peut-être penser à travailler en équipe, non? Pourquoi ne commencez-vous pas à planifier la deuxième mi-temps?

Penauds, Tom et ses coéquipiers fixent le bout de leurs chaussures. Tom s'assoit sur le banc et fronce les sourcils : maintenant qu'il s'est débarrassé de Kate, *il* devrait être le joueur vedette. Mais les choses ne se passent pas comme il l'avait prévu.

Une voix rude et râpeuse le sort de ses pensées.

— Tu sais ce qu'il te faut? lui murmure-t-elle à l'oreille gauche.

Tom se retourne et aperçoit un vieil homme, petit et tout ridé, debout derrière lui.

— Qu'est-ce qu'il me faut? demande Tom. Et d'ailleurs, qu'en savez-vous? ajoute-t-il.

— La fille, répond le vieil homme, il faut qu'elle revienne dans l'équipe. Je le sais parce que j'ai été ouvrier jardinier pour le Manchester United pendant quarante ans et maintenant je travaille ici à l'académie. J'ai assisté à tous les entraînements des grands attaquants.

Tom lève un sourcil.

— Et en quoi est-ce que ça concerne Kate? demande-t-il.

Le vieil homme retire sa casquette et se gratte la tête.

— Parce que tous les attaquants que j'ai vus avaient besoin d'un bon joueur du milieu pour les seconder. C'est pourquoi David Beckham est un si grand joueur. Avec lui, tous les attaquants jouent dix fois mieux!

Mal à l'aise, Tom tripote ses protège-tibias.

— Ouais, hum, il ne faudrait quand même pas comparer Kate à David Beckham? marmonne-t-il.

— Elle a un super pied droit! Et au cours des dernières années, je n'ai vu aucun jeune de onze ans faire d'aussi bonnes passes qu'elle. Tu peux me croire, petit!

L'ouvrier sourit et s'éloigne tranquillement avec son balai.

— C'est ce qu'il te faut, conclut-il. La fille doit revenir dans l'équipe!

Tom est sur le point de lui dire quelque chose quand un mouvement à l'autre bout du terrain capte son attention.

Kate, le visage cramoisi, franchit la porte d'un pas décidé et fonce vers lui.

UNE BONNE FROUSSE

Tom frémit en faisant de son mieux pour avoir l'air innocent. Lui qui avait cru pouvoir s'en tirer à bon compte… Comment est-ce possible?

— Ça va, Kate? demande Kelly. Et ta cheville foulée?

— Elle va très bien, répond Kate sans quitter Tom des yeux. Elle n'a jamais été aussi bien.

Tom baisse les yeux vers ses chaussures sales. Ça va aller très mal pour lui. Kate va raconter à Kelly ce qu'il a fait et il sera renvoyé de l'académie.

Le reste de l'équipe, par contre, a l'air soulagé qu'elle soit de retour.

Tom frissonne. Il imagine le visage de sa mère avec l'expression la plus furieuse qu'il lui connaisse et la multiplie par mille. Sa mère et sa grand-mère doivent avoir épargné pendant des *siècles* pour l'envoyer ici et voilà qu'on va le mettre à la porte!

— Kate? dit Kelly. Tu as quelque chose à me dire? Tu as l'air fâchée…

Tom se lève lentement pour se diriger vers le vestiaire. Il ne veut pas que la situation s'éternise.

— Mieux vaut en finir tout de suite! dit-il entre ses dents.

Il est furieux contre lui-même d'avoir été aussi stupide. Et tout ça parce qu'il est jaloux d'une fille.

— Non, répond Kate, je veux seulement finir la partie.

Incapable de la regarder dans les yeux, Tom fixe le bout de ses chaussures. Il est abasourdi; pourquoi Kate ne l'a-t-elle pas dénoncé?

— Bon, alors, poursuivons le match! lance Kelly au bout d'un moment.

Tom est frappé de stupeur. Est-ce que cela signifie qu'il est tiré d'affaire? Mais pourquoi

Kate a-t-elle fait une chose pareille? Elle doit le détester! Il est toujours cloué sur place, bouche ouverte, quand Kate passe devant lui au pas de course pour se diriger vers le terrain.

— Mmmerci! lâche Tom.

— Ne va pas croire que je t'ai pardonné, Tom, marmonne-t-elle. Si la chaise ne s'était pas renversée, je serais toujours enfermée là-bas.

Tom ne trouve rien à répondre. Il a toujours la bouche grande ouverte.

— Ça va? lui demande James en courant vers lui. Tu as l'air terrifié!

Tom revient subitement à la réalité.

— Non, je... euh... je vais bien! Je suis juste un peu surpris.

— C'est à cause de Kate, hein? dit James avec un petit rire. Elle t'a foudroyé du regard.

Tom s'élance vers le cercle central.

— Non, ça va bien avec Kate, laisse-t-il tomber.

— En tout cas, je suis content qu'elle soit revenue! dit James en riant. Maintenant, tu devrais être bien secondé dans la surface de réparation. Mais est-ce trop vous demander d'arrêter de vous quereller et de vous passer le ballon dans la deuxième mi-temps?

Tom jette un œil au loin vers Kate qui a toujours l'air furieuse.

— Euh… je vais essayer, dit-il à James d'une voix nerveuse.

Puis il laisse tomber le ballon sur le point central et lève les yeux vers Kelly.

— O.K., maintenant le match est à nous! s'exclame-t-il.

— Attendez un instant! Ne donnez pas le coup d'envoi tout de suite! s'écrie l'entraîneuse. Kate, je peux te dire un mot?

Kate hoche la tête et va retrouver Kelly au pas de course sur la ligne de touche.

— Kate, dit l'entraîneuse, je sais que tu as toujours des problèmes avec l'un de tes coéquipiers. Mais je ne vais plus m'en mêler. Vous devez régler les choses ensemble.

Kate hoche la tête sans rien dire.

— Je vais toutefois te donner un conseil,

ajoute Kelly. Celui-ci est écrit en lettres énormes à l'entrée de l'académie et c'est aussi une des maximes préférées de David Beckham : Reste concentrée.

Kate hoche la tête encore une fois.

— Je ne compte plus les fois où des garçons m'ont dit que je ne devrais pas jouer au soccer, déclare Kelly avec un soupir. Mais j'ai persévéré et maintenant je joue pour l'équipe féminine de l'Angleterre. Alors, ne t'occupe pas de ceux qui sont méchants et montre-leur de quoi tu es capable sur le terrain. C'est la seule façon de venir à bout des tyrans!

Kate ne dit toujours rien, mais elle lance un regard vers le ballon posé sur le point central.

— Alors, rappelle-toi, oublie les garçons et concentre-toi sur le match, conclut Kelly en donnant une tape dans le dos de Kate. Maintenant, va jouer!

Kate retourne en courant au cercle central où se trouve Tom. Elle fait face à l'équipe.

— Allons-y! hurle-t-elle. On peut encore gagner ce match!

L'équipe pousse des acclamations. Tous semblent soulagés que Kate soit de retour au milieu du terrain.

— Hé, attends… dit Tom, mais il ne finit pas sa phrase.

Il était sur le point de se plaindre parce que Kate va donner le coup d'envoi, mais il réalise tout à coup qu'il n'est pas en position de revendiquer quoi que ce soit.

—Tiens, dit-il en laissant tomber le ballon aux pieds de Kate.

Kate le coince avec son pied droit et lui lance un regard menaçant.

— Tu ferais mieux d'aller là-bas et de compter sinon je le fais à ta place!

Tom sent sa gorge se serrer.

— D'accord, dit-il.

Et la deuxième mi-temps commence.

UNE AVALANCHE DE BUTS

Tom esquive le marqueur et s'élance dans la surface de réparation pour la vingtième fois de la journée. Cette fois-ci, par contre, c'est différent : le ballon flotte au-dessus des têtes des défenseurs pour atterrir directement à ses pieds.

— Super passe, Kate! hurle James à l'autre bout du terrain.

Tom contourne le dernier défenseur, mais l'angle est trop serré; il n'arrivera pas à déjouer le gardien. Il effectue un botté avec l'intérieur du pied. Le ballon passe entre les jambes du gardien, mais rebondit sur le poteau et roule de l'autre côté de la ligne. Il y aura remise en jeu.

— Ouais, super passe! dit-il à Kate tandis qu'ils sortent de la zone au pas de course.

Kate l'ignore et lui tourne le dos.

— Allez la France! lance James alors que le gardien dépose le ballon pour effectuer le renvoi de but. Notre meilleur joueur du milieu est de retour, on a encore une chance de gagner!

Tom doit admettre que l'équipe est transformée depuis le retour de Kate. Au lieu de lambiner sur le bord de la surface en regardant des passes terribles flotter au-dessus de sa tête, il reçoit constamment le ballon dans des positions avantageuses pour marquer. Le vieil ouvrier jardinier avait raison — un bon milieu *fait de toi* un meilleur attaquant.

Un cri de Kate le sort de ses pensées.

— Cours! beugle-t-elle.

Elle a attrapé le ballon dans le renvoi de but et fonce à l'aide droite. Tom part en flèche vers le milieu du terrain, fait une feinte vers la gauche, puis s'élance vers la droite pour déjouer le défenseur devant lui. Il se retrouve en position dans la surface de réparation du Brésil.

Kate aperçoit sa manœuvre du coin de l'œil. Elle tient en respect l'arrière gauche du Brésil en jouant de l'épaule, puis subitement envoie le ballon vers le but. Il atterrit parfaitement entre Tom qui court toujours et le gardien du Brésil qui s'avance.

— Tire! hurle Kate lorsque Tom atteint le ballon.

Mais Tom prend le contrôle du ballon et traverse la surface de réparation en dribblant avec adresse pour l'éloigner du gardien. Tandis que quatre défenseurs foncent sur lui, tentant désespérément de le tacler, Tom fait rouler tranquillement le ballon au fond du filet désert.

— Ouais! rugit-il en se mettant à courir les deux bras en l'air.

— Super! s'écrie James.

Tom s'élance vers Kate, la main en l'air, prêt à taper dans sa paume.

— Superbe passe! s'exclame-t-il.

Mais Kate lui tourne le dos et s'éloigne, le

laissant planté là comme un idiot, la main en l'air.

— Je ne t'ai pas dénoncé, mais ça ne veut pas dire que j'en ai fini avec toi! lui dit-elle d'une voix sifflante. Tu m'as enfermée dans les toilettes, ne l'oublie pas!

— Ouais, euh… désolé, bredouille Tom. J'étais…

— Laisse tomber et retourne au match! réplique Kate avant de s'élancer pour effectuer un parfait tacle glissé qui envoie au tapis l'avant de l'équipe adverse.

Tom part en trombe et double Kate à l'aile droite. Elle lance le ballon haut et loin devant lui tandis qu'il continue à courir pour recevoir la passe.

Tom attrape le ballon avec son pied droit et lève les yeux. Le grand arrière gauche du Brésil lui bloque le chemin. Il emprisonne le ballon et tient le défenseur en respect avec son dos en faisant tout ce qu'il peut pour le protéger des longues jambes du garçon. Kate s'aperçoit qu'il a de la difficulté et bondit derrière lui.

— Passe derrière! lui hurle-t-elle.

Tom fait rouler le ballon dans sa direction.

—Vite, dans la surface de réparation! lance-t-elle.

Tom se rue vers le but, distançant facilement le grand arrière gauche. Une fois encore, Kate lui fait une longue passe parfaite qui survole la défense pour atterrir à ses pieds. Tom double le dernier défenseur à la vitesse de l'éclair et effectue un puissant coup de volée en visant le coin supérieur droit.

La défense de l'équipe adverse se fige, suivant des yeux le ballon qui, comme au ralenti, fonce vers le but. Le gardien traverse rapidement sa ligne de but et saute en l'air en agitant une main vers le ballon dans l'espoir de l'intercepter. Avant de s'écraser par terre, il réussit tout juste à le toucher du bout du doigt et à le repousser de quelques millimètres à l'extérieur du poteau.

— Ouiiii! halète le gardien en se relevant.

— Tir de coin, annonce Kelly avec un coup de sifflet. Dépêchez-vous, il ne reste qu'une minute avant la fin du match!

Kate ramasse le ballon et le place soigneusement à côté du drapeau de coin. L'Équipe France s'entasse dans la surface de réparation du Brésil espérant de tout cœur un but de dernière minute. Même le gardien de la France traverse le terrain en courant pour aller se poster sur le bord de la zone.

Tom jette un regard à Kate et essaie de bien se placer dans la surface.

— *Poteau opposé,* lui fait Kate en remuant les lèvres silencieusement. Tom hoche la tête. Il continue à jouer des coudes pendant un moment puis, lorsque Kate botte le ballon haut dans les airs devant le but, il se précipite vers le poteau arrière. Heureusement pour lui, le défenseur à ses côtés réagit trop lentement pour le rattraper. Tom saute aussi haut que possible. Le ballon plonge parfaitement à la dernière minute et Tom le propulse vers le but avec le front.

— Ouiiii! rugit Tom en s'écroulant sur le terrain, comme un pantin désarticulé.

Il peut voir le ballon rebondir au fond du filet et échapper aux bras impuissants du gardien.

— *Yéééééé!* s'écrie James en se jetant sur Tom.

En quelques secondes, les joueurs de l'Équipe France, tel un raz-de-marée, déferlent sur Tom en poussant des acclamations.

— On a réussi! hurle James.

— *Mmfmmg!* fait Tom d'une voix étranglée, incapable de respirer sous la montagne de joueurs exubérants.

Ayant réussi à se libérer en se tortillant, Tom regarde tout autour du terrain. Le seul joueur à ne pas se réjouir est Kate. Elle quitte le terrain.

— Super tir de coin! lui crie-t-il.

Kate ne se retourne pas.

RESTE CONCENTRÉ

Le lendemain, à la fin de leur dernier match, les joueurs de l'Équipe France quittent le terrain au pas de course, le sourire fendu jusqu'aux oreilles. James donne une tape amicale dans le dos de Kate.

— Bien joué! dit-il d'une voix haletante. On n'aurait jamais gagné le tournoi sans toi! Sans toi non plus, Tom — ton coup du chapeau en finale était incroyable!

— Beau match, James! répond Tom. Je ne peux pas croire que nous ayons gagné!

— Penses-tu que David Beckham va distribuer les médailles? demande James en sautillant d'un pied sur l'autre.

— C'est peu probable! réplique Tom. Je l'ai vu à la télévision hier, il jouait à l'extérieur.

—Très perspicace, marmonne James.

— C'est le trophée qui compte! rétorque Tom en lançant son poing en l'air.

— Ce n'est pas la participation qui compte? fait remarquer James.

— Ouais, participer pour gagner le tournoi, comme on vient de le faire! s'esclaffe Tom.

— Bon, tout le monde est prêt? demande Kelly en rejoignant les membres de l'équipe qui se trouvent toujours le long du terrain après leur dernière partie. La remise des médailles va commencer sous peu. C'est la mère de David qui va les présenter!

— Génial! lance James. Nous allons *donc*

rencontrer quelqu'un de la famille Beckham! Je me demande si elle est une mère normale.

— Tu te demandes par exemple si elle réprimande toujours David quand il marche sur le tapis avec ses souliers boueux? plaisante Tom. Pourquoi ne lui poses-tu pas la question en allant chercher ta médaille?

— En parlant de médaille, dit James tandis que l'équipe se regroupe, qui va aller chercher le trophée pour l'équipe?

Instantanément, tous regardent Tom. Après tout, il a marqué quatorze buts dans le tournoi, incluant le coup du chapeau en finale.

—Tom, déclare James, tu *es* notre meilleur compteur.

Tom se demande comment accepter sans avoir l'air arrogant lorsqu'une voix s'élève en arrière.

— Hé! Pourquoi pas Kate? L'équipe ne

valait pas grand-chose sans elle! lance Sam.

— C'est vrai, concède James. Qu'est-ce que vous en pensez?

— Elle a préparé tous nos buts! Elle devrait y aller, c'est certain! soutient Sam en foudroyant Tom du regard.

Il n'a toujours pas oublié la fois où Tom lui a crié dessus au cours de leur épouvantable première période sans Kate.

Comme d'habitude, Kate se tient un peu en retrait. Elle est en train de retirer ses chaussures Predator et de les placer dans son sac spécial.

— Kate, dis-leur que tu veux aller chercher le trophée, lui lance Sam. Sinon, ça ne sera pas juste.

Kate soupire.

— Je ne pense pas que je puisse dire quoi que ce soit pour empêcher Tom d'aller le chercher, marmonne-t-elle.

Les joueurs discutent toujours pour savoir qui recevra le trophée lorsque Kelly les entraîne vers la foule d'enfants qui attend que la cérémonie commence.

— Est-ce que vous avez choisi qui va rencontrer Mme Beckham? demande Kelly tandis que l'Équipe France s'installe à l'avant.

— Oui, répond Tom, c'est décidé.

Kelly attend.

— Et? fait-elle. Qui est-ce?

Tom réfléchit un instant en regardant l'équipe.

— Ce sera Kate!

Tout le monde est stupéfait. Même Sam est sans voix.

— C'est vrai? fait Kate, aussi étonnée que les autres.

— Oui! répond Tom. Sam a raison. Nous ne valions rien sans toi. Nous n'aurions pas gagné

sans toi.

Pour la première fois depuis qu'ils se sont rencontrés, Kate sourit à Tom.

— En plus, c'est le moins que je puisse faire après ce que… enfin, tu sais! lui murmure-t-il tandis que les autres bavardent avec excitation.

— Super! Merci! dit Kate qui monte sur la plateforme à la suite de Kelly.

Mme Beckham attend au milieu en tenant le

trophée et une grosse médaille. Elle passe la médaille autour du cou de Kate et lui remet le trophée tandis que la foule applaudit à tout rompre. Kate brandit le trophée et sourit devant tous les visages réjouis.

— Bravo! lui dit Mme Beckham postée à ses côtés. Je suis ravie de voir une fille aussi douée connaître un tel succès à l'académie… et devenir si populaire.

Kate éclate de rire.

— Qui l'aurait cru? réplique-t-elle.

— Mon David dit toujours : quoi qu'il arrive « Reste concentré »! déclare alors Mme Beckham.

Kate sourit.

— Je crois que j'ai déjà entendu cette maxine quelque part! dit-elle.

Puis, d'un bond, elle descend de la plateforme rejoindre Tom qui l'attend, la main levée, prêt à taper dans la sienne. Cette fois-ci, Kate ne le laisse pas en plan.

Dix minutes plus tard, Tom, assis en tailleur à côté de la voiture, enlève ses souliers et ses protège-tibias. Il raconte à quel point tout était super à sa mère qui n'arrive pas à placer un mot.

— Et les terrains sont immenses, dit-il. Et couverts par des dômes géants. C'est tellement extraordinaire de jouer là-bas!

Il pèle le ruban adhésif de ses souliers, les retire et les lance dans le coffre de la voiture.

— Et on a gagné le tournoi! J'ai compté quatorze buts. Je me suis fait un ami qui s'appelle James. Et puis…

Il est sur le point de mettre ses chaussures de sport quand quelque chose de noir et de lourd tombe du ciel pour atterrir sur ses genoux.

— Ooooh! fait-il en ramassant l'objet. Mais

qu'est-ce…

C'est une paire de souliers Predator lustrés,
presque neufs. Tom lève les yeux pour voir d'où
ils proviennent.

— Kate! s'exclame-t-il en sautant sur ses
pieds.

— Ma mère m'a acheté une nouvelle paire

parce qu'on a gagné le tournoi, dit-elle, et je me suis rappelé que quelqu'un aurait bien besoin d'une bonne paire de souliers. J'espère qu'ils te vont!

Tom sourit en retournant les souliers dans ses mains.

— Oh là là! Mille fois merci! Ils sont fantastiques!

Kate pivote et part en courant regagner la voiture de sa mère garée non loin.

— Kate! lui crie Tom.

— Quoi? fait-elle en s'arrêtant un instant.

— J'avais tort, lance Tom, tu mérites des souliers comme ça!

Kate sourit et monte dans la voiture.

— Qui était-ce? demande la mère de Tom en poussant son fils sur le siège arrière avant qu'il se remette à parler de l'académie.

— C'était notre meilleur joueur du milieu!

répond Tom tandis qu'ils s'éloignent. Elle était presque aussi bonne que David Beckham!

À VENIR :

 ## LE NOUVEAU

LE CINQUIÈME LIVRE DE LA COLLECTION
THE DAVID BECKHAM ACADEMY!

DÉJÀ PARUS :

1 – DOUBLE DÉFI
2 – ESPRIT D'ÉQUIPE
3 – GARDIEN GAGNANT
4 – L'ADVERSAIRE